Marc Hillman

PETITES ANNONCES DÈJANTÉES

LES BLAGUES CULTE

MARABOUT

SOMMAIRE

RENCONTRES

Dame soixantaine, tendre, affectueuse.
Assurerait douce et rapide fin de vie
à monsieur fortuné…

(Anonyme)

**Jeune agriculteur, très bien
de sa personne, désire
rencontrer en vue mariage,
J. Fille possédant tracteur.
Envoyer photo du tracteur.**

(Anonyme)

Églantine, fleuriste aux Lilas. Jolie plante mais actuelle-ment à fleur de pots, je rêve de rencontrer l'homme de mes pensées... Il devra être affectueux, d'un caractère pas trop lys, et ne pas m'envoyer sur les roses !

Philatéliste aimerait rencontrer jeune cantatrice possédant joli timbre de voix, pour s'affranchir ensemble des conventions. Envoyer photos et cassettes poste restante.

Savoyard rencontrerait Savoyarde pour fondre ensemble. Bourguignonne ferait également l'affaire...

(Anonyme)

Jeune momie égyptienne, bon profil, rêve d'un archéologue qui lui mettrait du baume au cœur...

(Anonyme)

Majordome cherche femme de chambre désirant se mettre en ménage et sachant passer l'éponge de temps en temps...

(Anonyme)

Cherche grande girafe pour me pendre à son cou...
(Anonyme)

Monsieur cherche
Dame pour rapports
sado maso :
réponse fouettée.

Professeur de natation à la retraite cherche
bonne nageuse pour couler des jours heureux.

Homme à qui on ne la fait pas cherche femme à qui on ne l'a pas fait.
(Pierre Dac)

Jeune homme de 36 ans, commerçant, cultivé, sympathique, 1m75, possédant logement pouvant servir de cabinet médical, cherche jeune femme gynécologue pour mariage été 99.
(Presse algérienne)

Fin gourmet cherche sa gourmette
pour y graver son cœur...

Professeur de maths cherche compagne
sur laquelle il pourrait compter, pas trop
calculatrice.

(Née sous x s'abstenir.)

Violoniste, je rêve d'une
jeune femme mélomane
qui saurait faire vibrer en
moi la corde sensible...

13

Jeune fille, très peu dépensière et pas trop bavarde, cherche homme qui comme elle ne supporte pas le shopping…

Homme 52 ans en paraissant 43, aimant travaux d'intérieur, détestant le foot, la moto, la bière et les copains, souhaite rencontrer Jf pour relation purement amicale !

Non-voyant souhaiterait revoir jeune fille rencontrée au cours de chant le mois dernier et perdue de vue depuis…

COMMERCE/À VENDRE

Lot de chaussettes à céder contre reprise.

Cède société de produits capillaires antichute.
Excellent potentiel de croissance.

(Anonyme)

Au pressing :
Nous ne déchirons
pas vos vêtements en
machine, nous le faisons
délicatement à la main.

(Anonyme)

Assureur propose aux amateurs de cornets et esquimaux maladroits une assurance bris de glace...

Agriculteur achèterait élevage de vaches, avec possibilité de payer en plusieurs traites.

Cause retraite, serrurier cède son fonds de commerce : 125 000 €, prix clés en main.

Compagnie théâtrale cherche à louer péniche pour mise en Seine…

Cinéphile échangerait DVD *Fenêtre sur cour* de Hitchcock contre celui de *Chambre avec vue* de James Ivory.

Homme en vie âgé, cède épouse en viager, bouquet et rente envisagés : 700 €… pour le preneur !

Achète la lette ente E et T
pou clavie d'odinateu. Ugent !

Vends robe de mariée.
Portée une seule fois par erreur…
(Pierre Dac)

Vends poupée gonflable,
cause mariage récent.
(Anonyme)

18

VENDS Citroën C4 de mai 2005. A subi un choc sur le côté droit, mais comme neuve sur le côté gauche. Direction assistée, climatisée, 5 portes, turbo diesel 110 chevaux. Cotée 7 800 € à l'argus : je la vends 6 500 € si vous la voyez du bon côté, et 5 400 de l'autre...

Pourquoi aller ailleurs pour vous faire rouler ? Venez d'abord chez nous !
(Anonyme)

Couple de naturistes revend lave-linge et sèche-linge,
état neuf, peu servis... Faire offre.

**Affaire à saisir :
dix tonnes de pommes
de terre à céder pour
seulement 2 patates !**

À VENDRE table ronde 92x120.
(Anonyme)

VENDS Décapotable 1988, excellent état.
Prix ridiculement élevé car le propriétaire
adore marchander.

(Anonyme)

Je vends un lit 2 places avec possibilité de n'y coucher qu'une seule personne…

SEOUL
Frigo congélateur à vendre. Pour les bébés, la chaîne du froid a été scrupuleusement respectée…

VENDS différents articles interdits à la vente : écrire au journal qui transmettra… (Anonyme)

VENDS 200 bouteilles de vin de table ordinaire, genre Bordeaux, non étiquetées, pourrait intéresser restaurant routier ou clientèle de non connaisseurs. (Anonyme)

Artificier vend la mèche ! (Prix canon)

À VENDRE 3 moustiquaires (s'adresser à M. Alexandre Dumas).

AVIS DE RECHERCHE, PERDU-TROUVÉ

PERDU le sens des affaires.
Merci de me le rapporter avant dépôt
de bilan. Demander Gérard aux Galeries
la faillite…

**Campeurs, vous cherchez
une tente dans terrain ?
Nous pouvons trouver
un terrain d'entente…**

TROUVÉ sur une table à la Coupole un livre oublié lors d'un déjeuner.
Son titre : « Comment vaincre la distraction en 20 leçons. »
Apparemment, soit vous ne l'avez pas bien lu, soit pas tout à fait encore terminé ! Il vous attend à l'accueil.

Cherche magicien pour faire disparaître ma femme
(Anonyme)

Femme ayant autrefois posé comme modèle pour Picasso, cherche chirurgien esthétique pour enfin ôter les arêtes de son visage...

Couple cherche
un démineur capable
de désamorcer
leurs sempiternelles
disputes...

**Chasseur l'ayant
abattu par erreur vend
la peau de l'ours...**

PERDU lundi
métro George V,
serviette cuir noir
sans importance.
Ne souhaite pas
la récupérer.
Aucune récompense.

Recherchons fille au pair pour s'occuper de nos 3 gamins : ambiance bon enfant garantie !

**PERDU notre chien :
un gentil labrador
à moitié aveugle, castré.
Blessé récemment,
il a du mal à marcher
et est reconnaissable
à sa patte arrière bandée.
Il répond au doux nom
de Chanceux…**

URGENT.
Cause départ vends starting-blocks !

À VENDRE
terrain Paris.
Permis de conduire
déjà obtenu.
(Anonyme)

Dramaturge en panne d'inspiration s'associerait
avec pâtissier spécialisé dans les pièces montées…

PERDU de vue, l'essentiel : recherche sens profond à ma vie. Téléphoner d'urgence cause suicide imminent.

PERDU près du métro un billet de 200 euros. Merci de me le ramener car grande valeur sentimentale.

(Anonyme)

C'était dans le bus 30 lundi dernier,
direction Trocadéro vers 16 h.
Tu étais très mignonne et portais
un jean de marque Levi Strauss®
Tu lisais un roman de Marc Lévy,
moi de Bernard-Henri Lévy…
Ton regard soutenu à mon attention,
je n'ai pu Lévy-ter.
Puis, devant me rendre rue de Lévis,
je suis descendu à la station Villiers
espérant que tu m'emboîterais le pas :
hélas il n'en fut pas ainsi…
Je travaille chez Calmann-Lévy
et habite au 6 rue Halévy : fais-moi signe.
Oui, je dois me rendre à Lévy danse :
depuis notre rencontre, je plane et suis
en Lévitation…

EMPLOI

Agent secret dans de beaux draps
cherche couverture !

Paru dans un journal du Texas :
Chasseur de têtes recrute chasseur de primes.

Femme 50 ans recherche
chirurgien esthétique
chevronné pour retrouver
son profil sans perdre
la face...

Avocat pratiquant la boxe amateur donnerait cours de droit.

Ferrailleur sortant de tôle cherche à refaire ailleurs une nouvelle vie. Optimiste et motivé, il croit dur comme fer en son avenir !

Agriculteur sur la paille cherche un emploi qui le botte : fumiers s'abstenir.

Laveur de carreaux accepte volontiers de se déplacer à domicile

---

Air Afrique recherche stewards (...) pratiquant la natation.

(Anonyme)

Père Noël recherche avocat pour intenter un procès à ceux qui l'ont traité d'ordure !
(Anonyme)

Ancienne taupe du KGB cherche emploi d'opticien.

Horloger cherche jeune stagiaire pour remettre les pendules à l'heure

M. Propre en a assez de se tuer à la tâche et recherche bonne à tout fer. Merci de repasser en cas d'absence.

Nous souhaiterions embaucher une baby-sitter
pour aller chercher Mehdi à quatorze heures,
à l'école de la rue du Mont-Cenis.

Filiale départementale d'une
multinationale, 2 000 ans d'expérience,
leader dans son domaine, recherche
hommes célibataires et voulant le rester,
salaire inférieur au SMIC, horaires
variables, retraite après 75 ans…
En vue de devenir prêtre !
(Annonce authentique parue en 2011
sur le site Internet du diocèse d'Aix-Arles.)

PANCARTES, AFFICHES ET PANNEAUX

la foire du Trône :
our le stand de tir à l'arc, suivre la flèche...

Au Grand Orient de France :
Notre gardienne est dans sa loge...

Panneau sur une route :
CIMETIERE (voie sans issue)
(Anonyme)

Vu chez l'imprimeur :
WC : les lettrines sont au fond du couloir à gauche...

À l'agence de voyage :
- Ici vols low-cost pour les petits budgets, et vols Lacoste pour les clients aisés.
- Actuellement en promotion, profitez de vacances au pôle Nord à tarif inuit : payez une seule nuit et restez six mois !

Sur la plaque d'un médecin :
Spécialiste des femmes et autres maladies.

Dans un couloir de lycée :
INTERDIT DE COURIR SOUS PEINE
DE POURSUITE...

Au supermarché :
Les produits de laitage
sont à l'étage et les poissons
aux sous-soles... sauf la raie
en promotion aux raies
de chaussée...

37

La papeterie des Abbesses informe son aimable clientèle que le magasin restera fermé pour cause de décès de durée indéterminée.

Amateurs de cotillons et déguisements : nous rappelons à notre fidèle clientèle que notre magasin de farces est à Trappes !

Nous sommes actuellement en train de tourner un film sur les beaux gosses dans votre quartier. Merci de ne pas sortir de chez vous pour les deux jours qui viennent .

(Anonyme)

Le restaurant espagnol est fermé pour cause de tapas nocturnes et préparation de gaz pas chaud.

Dans un café parisien :
Il est demandé aux femmes de ne pas avoir d'enfants au bar.

Suite à la suppression de la peine de mort, on annonce la prochaine fermeture de notre magasin de « FOURNITURES de BOURREAU ». Nous soldons une guillotine, des cordes, une potence, des martinets et autres accessoires lugubres...

Sur une plaque à Londres dans le quartier Portobello, il est écrit :
En 1862, à cet endroit précis, il ne s'est rien passé !
(Authentique)

ANNONCES PAR VOIE DE PRESSE

Le personnel en grève
de l'entreprise Wonderbra®
réunira ses comités
de soutien lundi à 17 h
rue Léopold-Robert.
En présence du député
Noël Mammaire
et avec le soutien...
de SOS mes deux seins.

Au restaurant réunionnais jeudi prochain :
soirée Punch pour cœurs rhum antiques.

PETITES ANNONCES PAROISSIALES

Le prix de la soirée
« prière et jeûne »
inclut les repas…
(Anonyme)

Le pasteur : « Je serai absent pendant quelques dimanches. Les prédicateurs seront affichés sur le panneau externe de l'église et toutes les naissances, mariages et décès seront remis jusqu'après mon retour. »

(Anonyme)

Suite au passage à l'heure d'été, le théâtre de Dix Heures ouvrira ses portes avec une heure d'avance.

Le congrès des chimistes se tiendra comme chaque année à l'hôtel Mercure près du métro Bromure Sébastopol. À l'issue des débats et pour chlore la réunion, un vin d'honneur sera servi autour du zinc : tenue nickel exigée !

En vue d'un tournage, société de production recherche une jf de 26 ans environ, en paraissant 18, en vue de jouer le rôle d'une jeune fille de 17 ans faisant plus que son âge...

Tombola de la Société Bayonnaise des Amis des Oiseaux : le numéro 5963 gagne un fusil de chasse.

(Source : journal *Sud-Ouest*)

urnée du don du sang : s'inscrire à la boucherie.

(Source : *Var Matin*)

Le Palais de la Mutualité annonce ses prochaines manifestations

- Une conférence sur le voyage dans le temps aura lieu Mardi dernier…

(Anonyme)

- La prochaine conférence sur la constipation sera suivie d'un pot amical.

(Anonyme)

DÉCÈS

Les Pompes funèbres seront fermées ce jour pour cause de décès

L'église étant actuellement en travaux, les obsèques de la défunte seront célébrées dans la salle des fêtes.

Monsieur Y... tient à remercier chaleureusement les personnes qui ont pris part au décès de sa femme.

(Anonyme)

Il a plu à Dieu de rappeler à lui M. Ernest, mais ça n'a pas du tout plu à sa famille...

Cette semaine au ciné-club :
- Tous les jours à 17 h :
Les Canons de Navarro,
avec Anthony Couine.
- À 20 h : *Rocky*, l'un des plus
gros succès du boxe office.
- Samedi minuit : *Viens chez
moi j'habite chez une coquine !*
(Interdit aux moins de 18 ans)
- Dimanche après-midi :
Les Demoiselles du Roquefort,
de Jacques Demy.
La semaine prochaine, cycle
Clint Eastwood avec 3 films :
- *L'inspecteur a ri.*
- *Grand Oto-rhino.*
- *Moustic river.*

À Drouot jeudi à 14 h :

Vente aux enchères d'une collection de livres rares et inédits d'auteurs célèbres dont :

- *Maigret enquête à Cavaillon*, de Georges Simelon.
- *Voyage au bout de l'ennui*, de L. F. Céline Dion.
- *Six petits nègres* (les mémoires de Paul-Loup Sulitzer).
- *Les Raves-party du promeneur solidaire*, de Jean-Jacques et Demis Rousseau.
- *Le Portrait de Denise Grey*, d'Oscar et Kim Wilde.
- *J'irai cracher sur Nothomb* et *Légumes des jours*, de Boris Viande.

Etc.

SLOGANS IMPROBABLES, RÉCLAMES ET FAUSSES PUB

Vous qui doutez de tout,
ne devriez-vous pas prendre un anti-sceptique ?

Slogan gravé sur un crayon :
« Toujours la même mine,
mais jamais les mêmes traits. »

Avion ou voiture ? Quand on voit ce qu'un vol vaut,
on préfère voyager en Volvo® !

Le salon de coiffure ANDRÉ attend votre visite :
Raie, barbes, tifs, le tout à des prix non raie barbe à tifs…

(Anonyme)

Madame, ne perdez plus de temps à chercher les zones érogènes de votre mari… demandez donc à sa secrétaire.

(Anonyme)

Messieurs ! Après votre rasage, utilisez donc :
L'AFTER SHAVE DE M. SEGUIN
Soin apaisant, hydratant, réparateur.
Recommandé par Alphonse Daudet.

Téléphone Siemens : si mince qu'il tient
à peine dans la main...®

Il y a quelques années, votre dentition était d'une blancheur éclatante : regardez comme le cachou l'a jaunie : Aime Ail Diamant redonne à vos dents l'éclat de vos 20 ans, tout en parfumant votre haleine !

Chapelier propose sa toute nouvelle collection de coiffes, bérets, canotiers, voilettes, etc., de petite taille pour personnes étroites d'esprit. Le tout à prix modiste…

Pour vos douleurs et rhumatismes, consultez le Dr Rémy d'Aplomb, célèbre ostéopathe à Paris 17e.

De nombreux témoignages de satisfaction :

- M. Lombaire Wilson, acteur à Paris :

Je ne pouvais plus articuler correctement, il a soulagé mes articulations...

- M. Ernie Discal à Neuilly :

À chaque aube qui naît, je remercie mon kiné !

- M. Alain Bago à Paris 9e :

On dit que la réalité dépasse la fiction, mais avec les massages de Rémy, l'arrêt alité dépasse la friction !

- Melle X, strip-teaseuse :

Je souffrais d'une luxation, j'ai pris le luxe de le consulter, depuis c'est la luxure !

- Melle Lucie Atik à Beauvais :

Il a soulagé mes tensions, il mérite toute mon a-tension...

- M. Rachid Cervical à Caen :

C'est bien la seule fois de ma vie où j'étais heureux d'être manipulé !

Etc.

ANNONCES AU TÉLÉPHONE

Vous êtes bien au S.A.V. d'Apple : pour parler à Paul, tapez 1.

Si vous habitez le Nord et avez constaté que votre Ipad calait, tapez 2.

Si votre Ipod est en panne, tapez dessus.

Pour changer de Mac, contactez notre S.A.V. de la rue St-Denis...

(Le tout sur fond de musique de Beethoven : Pomme Pomme Pomme !)

Vous êtes bien chez Dédé l'électricien branché et en prise avec son temps : inutile de péter un plomb, vous tombez pile à la bonne adresse ! Nos prix sont étudiés : pas de rallonge intempestive... Ce n'est pas le moment de faire Volt-face, si vous laissez votre message, je serai vite au courant !

Bienvenue à la boucherie René !
Soyons francs du collier, si vous tombez sur ce répondeur, c'est à cause de l'heure de pointe et nous n'avons franchement pas le temps de tailler la bavette !
Mais, toujours prêt à vous rendre de bons et aloyaux services et ne souhaitant pas vous mettre le moral abat, si vous cherchez une épaule sur laquelle vous reposer, vous êtes à la bonne adresse.
Cette semaine, promotion sur l'Aztèque haché, viande en provenance du Pérou.
Laissez votre commande après le bip.
Merci !
Message personnel : René, samedi prochain soirée Jazz, on se retrouvera tous au Bœuf sur le toit...

Bonjour, ici Jean Homard, poissonnier :
ne croyez pas que je me cache derrière
mon répondeur muet comme une carpe,
mais je suis actuellement débordé par le bulot...
On m'a signalé ce matin qu'il y a de la friture
sur la ligne : c'est bien normal, car nous faisons
frire des sardines qui seront à votre disposition
sur l'étal à partir de 10 heures.
Et comme nous mettons le turbot pour être
dans les temps, alors de grâce soyez patients,
et laissez-nous un message en gardant SVP
un thon respectueux !

Bonjour, votre avocat est en vacances jusqu'au 7 mai.
En cas d'urgence, notre stagiaire est à votre disposition : n'hésitez pas à soumettre vos dossiers au sous-maître...

Vous êtes sur le répondeur de la compagnie Darjeeling : nous sommes fermés pour les thés et rouvrirons fin septembre pour les thés indiens. Merci de votre bon thé et RDV à la rentrée où il vous sera réservé un ex-Ceylan accueil.
À bientôt !

Bienvenue à la société des amis d'Henri Bergson : il n'y a Bergson actuellement à l'autre bout du fil (osophe) pour vous répondre.
Exprimez vos interrogations métaphysiques après le bip, et nous y apporterons des réponses dans l'esprit des écrits laissés par le Maître...

Mon épouse et moi ne pouvons vraiment, mais vraiment pas vous répondre pour le moment... Toutefois, si vous nous laissez vos coordonnées, nous vous rappellerons dès que nous aurons terminé...

Édité par Hachette Livre (43, quai de Grenelle - 75905 Paris Cedex 15)
Imprimé en Espagne par Cayfosa pour le compte des éditions Marabout
Dépôt légal : mai 2014
ISBN : 978-2-501-09315-6
4145066
Édition 01